Cuentos para sentir

A Rafa, mi chico de ojos tiernos

Proyecto y dirección editorial: María Castillo
Coordinación editorial: Teresa Tellechea

© Del texto: Almudena Taboada, 2008
© De las ilustraciones: Ana López Escrivá, 2008
© Ediciones SM, 2008
   Impresores, 2
   Urbanización Prado del Espino
   28660 Boadilla del Monte (Madrid)
   www.grupo-sm.com

CENTRO INTEGRAL DE ATENCIÓN AL CLIENTE
Tel.: 902 12 13 23
Fax: 902 24 12 22
clientes@grupo-sm.com

ISBN: 978-84-675-2730-8
Depósito legal: M-8220-2008
Impreso en España / Printed in Spain
Orymu, SA - Ruiz de Alda , 1 - Pinto (Madrid)

LA TORTUGA MARIAN

ALMUDENA TABOADA

Ilustraciones de **ANA LÓPEZ ESCRIVÁ**

LA TORTUGA MARIAN ES UNA TORTUGA
DE PIEL RUGOSA CON OJOS LIMPIOS Y TIERNOS.

SE ASUSTA SI EL VIENTO SOPLA FUERTE,
ESCONDE LA CABEZA Y NO LA SACA HASTA
QUE EL AIRE SE CALMA.

MARIAN SE LEVANTA TEMPRANO, SE LAVA LA CARA
Y SE VISTE DESPACIO.

BEBE ZUMO DE LIMÓN, CEPILLA SUS DIENTES,
Y COGE LA CARTERA.

PASITO A PASITO,
CAMINA HACIA LA ESCUELA.

LA TORTUGA MARIAN LLEGA TARDE.
LA PIZARRA TIENE NÚMEROS QUE NO RECONOCE.
UNOS PARECEN ROSQUILLAS;
OTROS, EL PATO DEL LAGO.
LA MAESTRA LE DICE:
—MARIAN, TIENES QUE INTENTAR
VENIR MÁS PRONTO.

LA TORTUGA QUIERE IR DEPRISA PERO NO PUEDE.
TAMBIÉN QUIERE APRENDER A LEER,
PERO LE CUESTA ENTENDER LAS LETRAS. ¡ES TAN DIFÍCIL!

RAFA, EL PÁJARO CARPINTERO, SE SIENTA A SU LADO Y LA AYUDA.

A de avión

E de elefante

I de iglú

O de oso

U de uvas

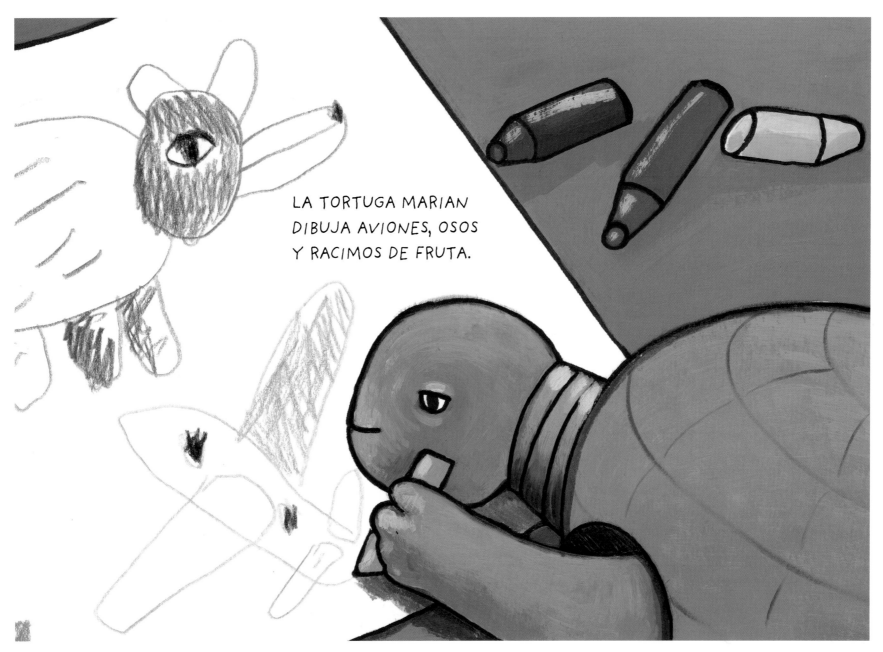

LA TORTUGA MARIAN DIBUJA AVIONES, OSOS Y RACIMOS DE FRUTA.

A VECES NO LE SALEN BIEN
PERO NO IMPORTA:
LOS BORRA Y EMPIEZA DE NUEVO.

HOY ES SU CUMPLEAÑOS
Y QUIERE CELEBRARLO
CON SUS COMPAÑEROS
DE CLASE.

20

LES LLEVA UNA TARTA DE MORA, SIETE VELAS
Y UNA BOLSA DE CHUCHERÍAS.

SUS AMIGOS ESTÁN SENTADOS ALREDEDOR DE UNA CAJA
CUANDO MARIAN ENTRA.
ES UN REGALO EN EL QUE TODOS HAN PARTICIPADO:
UNOS RECORTANDO Y OTROS PINTANDO
Y PEGANDO.

LA TORTUGA SE ACERCA.
LA CAJA ES CASI TAN GRANDE COMO ELLA.

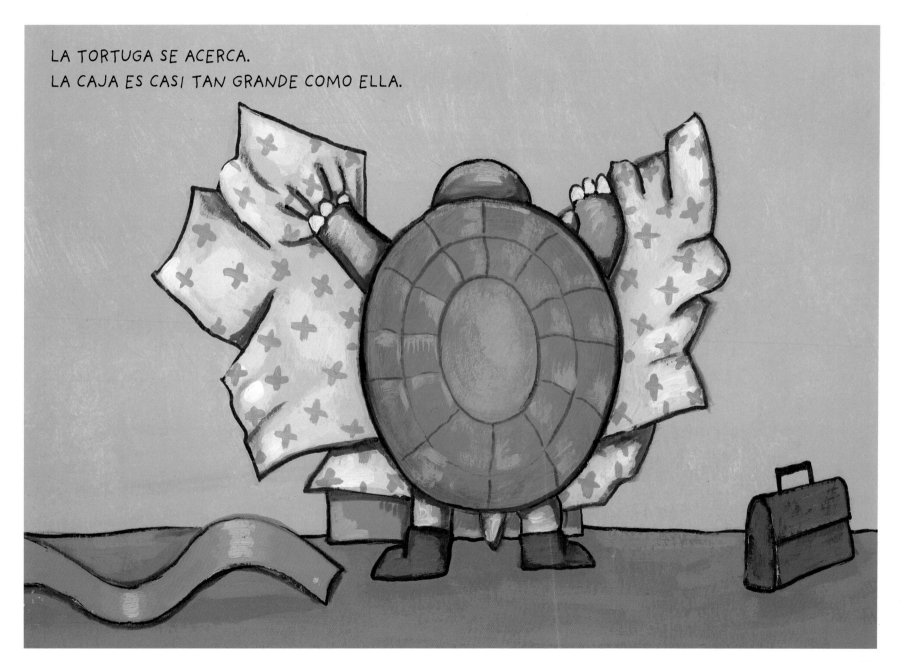

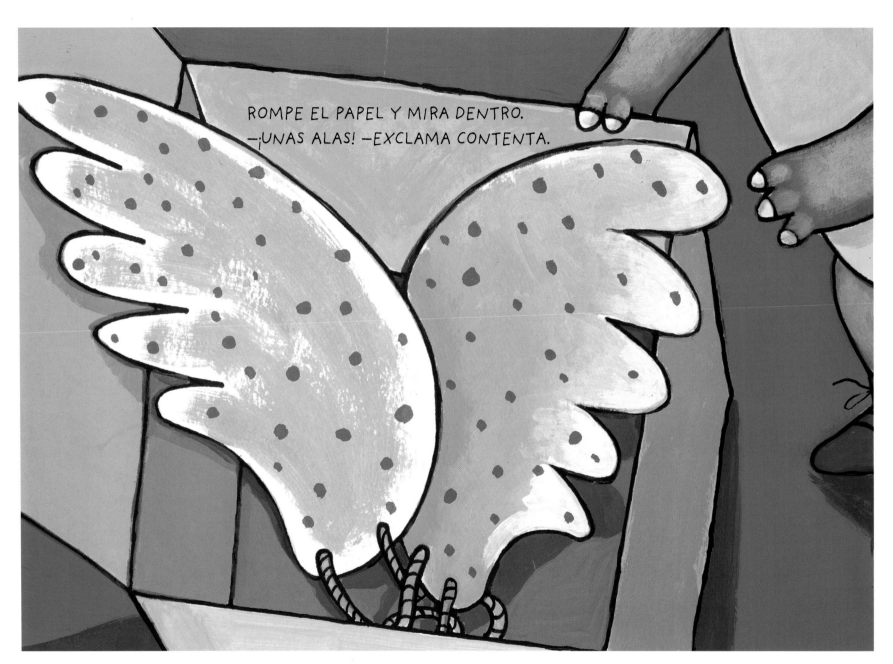

ROMPE EL PAPEL Y MIRA DENTRO.
—¡UNAS ALAS! —EXCLAMA CONTENTA.

LA MAESTRA LAS ATA A SU ESPALDA:
—SON PARA QUE VUELES —LE DICE SONRIENDO.

MARIAN CAMINA UNOS PASOS.
LAS ALAS SE MUEVEN Y, POCO A POCO,
LA LEVANTAN POR EL AIRE.
MARIAN RÍE FELIZ. ES UNA TORTUGA VOLADORA.

AHORA YA SABE QUE NUNCA MÁS LLEGARÁ TARDE AL COLEGIO.
LEER Y CONTAR SERÁ MÁS DIFÍCIL QUE APRENDER A VOLAR,
PERO LO CONSEGUIRÁ Y, AUNQUE NO LO LOGRE, NO IMPORTA.

MARIAN SEGUIRÁ VOLANDO
PARA LLEGAR DONDE PUEDA.